ANIFEILIAID ANWES

Bochdewion a Gerbilod

Honor Head

Ffotograffau gan
Jane Burton

Addasiad
Elin Meek

Cyhoeddwyd gyntaf ym Mhrydain yn 2000 gan
Belitha Press, argraffnod Chrysalis Books plc,
The Chrysalis Building, Bramley Road,
Llundain W10 6SP

Teitl gwreiddiol: *Hamsters & Gerbils (My Pet)*
Golygydd: Claire Edwards
Dylunydd: Rosamund Saunders
Arlunydd: Pauline Bayne
Ymgynghorydd: Frazer Swift

ISBN 1 84323 267 7

Cyhoeddwyd gan Wasg Gomer, Llandysul,
Ceredigion SA44 4QL, gyda chefnogaeth
Awdurdod Cymwysterau, Cwricwlwm
ac Asesu Cymru

Dymuna'r cyhoeddwyr gydnabod cymorth
Adran Olygyddol Cyngor Llyfrau Cymru,
Cathryn Clement a Heulwen Harris

Argraffwyd yn China

Rhoddion caredig oddi wrth gwmni *Pets at Home*
yw'r nwyddau sydd i'w gweld yn y llyfr hwn.

Cynnwys

Fy mochdew

Fy gerbil

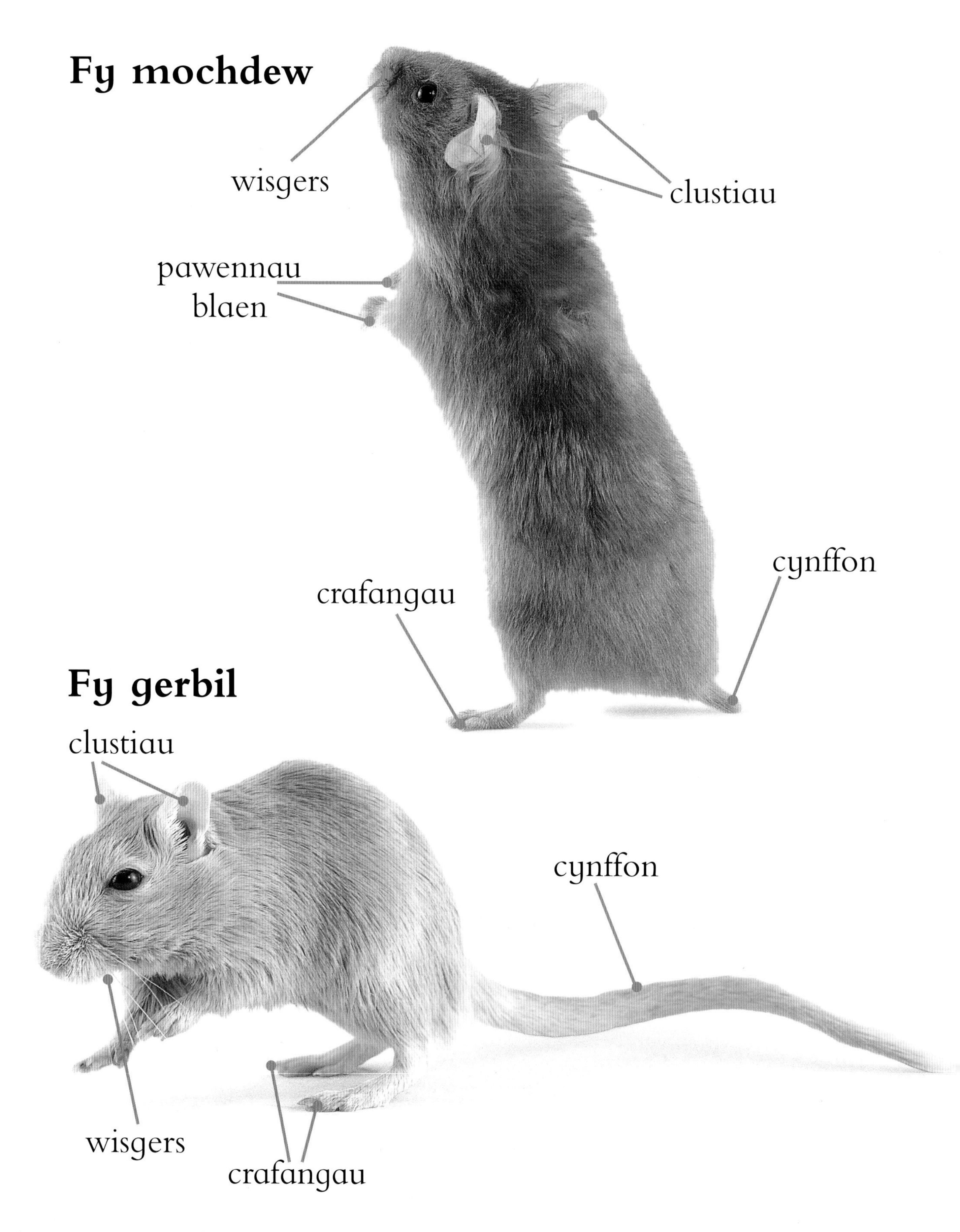

Mae'n hwyl bod yn berchen ar dy anifail anwes dy hun.

Dylai plant ifanc sydd ag anifeiliaid anwes gael eu goruchwylio bob amser gan oedolyn. Am ragor o nodiadau, gweler tudalen 32.

Mae'n hwyl bod yn berchen ar fochdewion a gerbilod, ond rhai bach ydyn nhw ac maen nhw'n hawdd eu dychryn. Dylet ti eu trin yn dyner a gofalu'n dda amdanyn nhw.

Rhaid bwydo bochdewion a gerbilod bob dydd. Hefyd bydd rhaid cadw eu cartrefi'n lân a gwneud yn siŵr eu bod nhw'n hapus ac yn iach.

Beth yw gerbil?

Anifail bach sy'n edrych yn debyg i lygoden yw gerbil. Mae ganddo goesau ôl cryf, pawennau blaen bach a chynffon hir.

Mae gerbilod yn fywiog iawn. Maen nhw'n hoffi chwilota a rhedeg o gwmpas.

Brown yw lliw gerbilod fel arfer, ond mae rhai yn llwyd, gwyn, aur neu ddu. Mae streipiau neu smotiau gan rai.

Mae gerbilod yn hoffi byw gyda'i gilydd. Paid byth â chadw un gerbil ar ei ben ei hun.

Beth yw bochdew?

Mae bochdew ychydig yn fwy na gerbil. Mae cynffon bwt ganddo. Mae bochdew'n cysgu am y rhan fwyaf o'r dydd ac yn dihuno a chwarae gyda'r nos.

Mae sawl gwahanol fath o fochdew i'w gael.

Yn y gwyllt, mae bochdewion yn byw yn yr anialwch. Maen nhw'n cysgu mewn twll o dan y ddaear.

Mae rhai bochdewion yn fach iawn. Mae gan rai bochdewion streipiau neu batrymau ar eu ffwr.

Mae blew hir gan rai bochdewion. Maen nhw'n edrych yn annwyl ond mae angen eu brwsio'n gyson.

Mae gerbilod a bochdewion yn gwneud nythod i'w rhai bach.

Pan fydd gerbil neu fochdew yn feichiog mae'r fam yn gwneud nyth o wair, gwellt neu ddefnydd nyth arbennig o siop anifeiliaid anwes.

Mae gerbilod a bochdewion yn cael eu geni heb ffwr a'u llygaid ynghau. Mae bochdewion a gerbilod bach yn yfed llaeth eu mam. Sugno yw'r enw ar hyn.

Pan fydd mam yn bwydo'i rhai bach, mae angen llawer o ddŵr a llaeth ffres arni bob dydd a bwyd ychwanegol, fel caws neu wyau.

Mae bochdewion a gerbilod yn barod i adael eu mam pan fyddan nhw tua chwech wythnos oed.

Bydd angen cartref ar dy anifail anwes.

Mae bochdewion a gerbilod yn gallu byw mewn caets neu danc. Mae blwch nythu ar ben y tanc bochdewion yma. Mae dau flwch nythu yn y caets oddi tano. Mae clawr clir i'w osod arno i rwystro'r anifeiliaid rhag dianc.

Rhaid rhoi haen drwchus o siafins pren yn y tanc neu'r caets fel bod dy anifail anwes yn gallu ei gnoi a thyllu ynddo.

Bydd angen rhywbeth ar dy anifail anwes i wneud nyth. Pryna wair neu bapur o'r siop anifeiliaid anwes.

Pan fyddi di'n prynu neu'n gwneud caets i'r anifail, gwna'n siŵr nad oes unrhyw ymylon miniog i'r caets.

Rho deganau i'r anifail chwarae â nhw.

Bydd bochdewion a gerbilod yn mwynhau chwarae â theganau fel y diwben hon. Paid byth â rhoi tegan metel iddyn nhw, nac unrhyw beth wedi'i beintio.

Os wyt ti'n gadael dy anifail allan o'r caets, caea bob ffenest a drws. Gwylia dy anifail drwy'r amser – mae bochdewion a gerbilod yn fach ac yn gyflym iawn.

Gelli wneud teganau neu eu prynu o siop anifeiliaid anwes. Cadwa roliau papur toiled neu hanner masgl cneuen goco iddyn nhw.

Mae gerbilod yn hoffi tyllu o dan ddaear. Gwna fynydd o siafins pren fel y gallan nhw dyllu ynddo.

Rho olwyn ymarfer i'r bochdew. Gwna'n siŵr nad oes bylchau ynddi neu fe allai'r bochdew ddal ei droed ynddyn nhw. Does dim angen olwyn ar gerbilod – mae'n well ganddyn nhw dyllu.

Bydd angen iti ofalu am dy anifail anwes.

Rho ddarn o bren caled, neu flocyn cnoi arbennig, neu gneuen Brasil yn ei masgl, i'r anifail eu cnoi. Bydd hyn yn ei helpu i gadw'i ddannedd yn finiog ac yn fyr.

Mae'r gerbil hwn yn gwrando am sŵn perygl. Mae clyw da iawn gan gerbilod a bochdewion a nid ydyn nhw'n hoffi synau uchel. Paid â'u cadw nhw'n agos at deledu neu seinydd cerddoriaeth.

Os yw dy fochdew'n cysgu, paid â'i ddihuno.
Mae angen cwsg arno yn ystod y dydd.

Paid byth â defnyddio gwlân cotwm, gwlân gwau na darnau o ddillad i wneud nyth. Gallai'r pethau hyn fynd yn sownd am goesau dy anifail, neu ei dagu. Paid byth â defnyddio papur newydd chwaith, achos bydd yr inc yn gwneud niwed iddo.

Bydd angen bwyd ffres ar dy anifail bob dydd.

Rho fwyd arbennig i fochdewion a gerbilod iddyn nhw ei fwyta gyda'r nos. Cliria unrhyw hen fwyd. Paid â rhoi gormod o fwyd ar y tro neu bydd yn llwydo.

Rho'r bwyd mewn powlen drom fel na all dy anifail ei droi drosodd.

Rho ffrwythau neu lysiau ffres iddo bob bore. Bydd yn mwynhau moron, afalau, gellyg, grawnwin a thomatos, ond nid letys. Golcha bob darn o fwyd ffres.

Gwna'n siŵr fod dy anifail anwes yn cael dŵr ffres bob dydd. Rho'r dŵr mewn potel ddiferu arbennig ac nid mewn powlen.

Mae bochdewion yn cario bwyd mewn codau yn eu bochau. Maen nhw hefyd yn hoffi storio bwyd yn eu nyth.

Bydd rhaid iti gadw cartref dy anifail anwes yn lân.

Tynna hen fwyd a baw dy anifail o'r caets neu'r tanc unwaith bob dydd.

Glanha ei gartref unwaith yr wythnos. Bydd rhaid gwacáu'r siafins sydd dros y llawr a rhoi haen ffres i mewn.

Pan fyddi di'n glanhau cartref dy anifail, gwisga fenig neu golcha dy ddwylo gyda sebon a dŵr cynnes ar ôl gorffen.

Unwaith yr wythnos, rho ddefnyddiau nyth newydd yn y caets – ond paid â thaflu'r hen nyth.

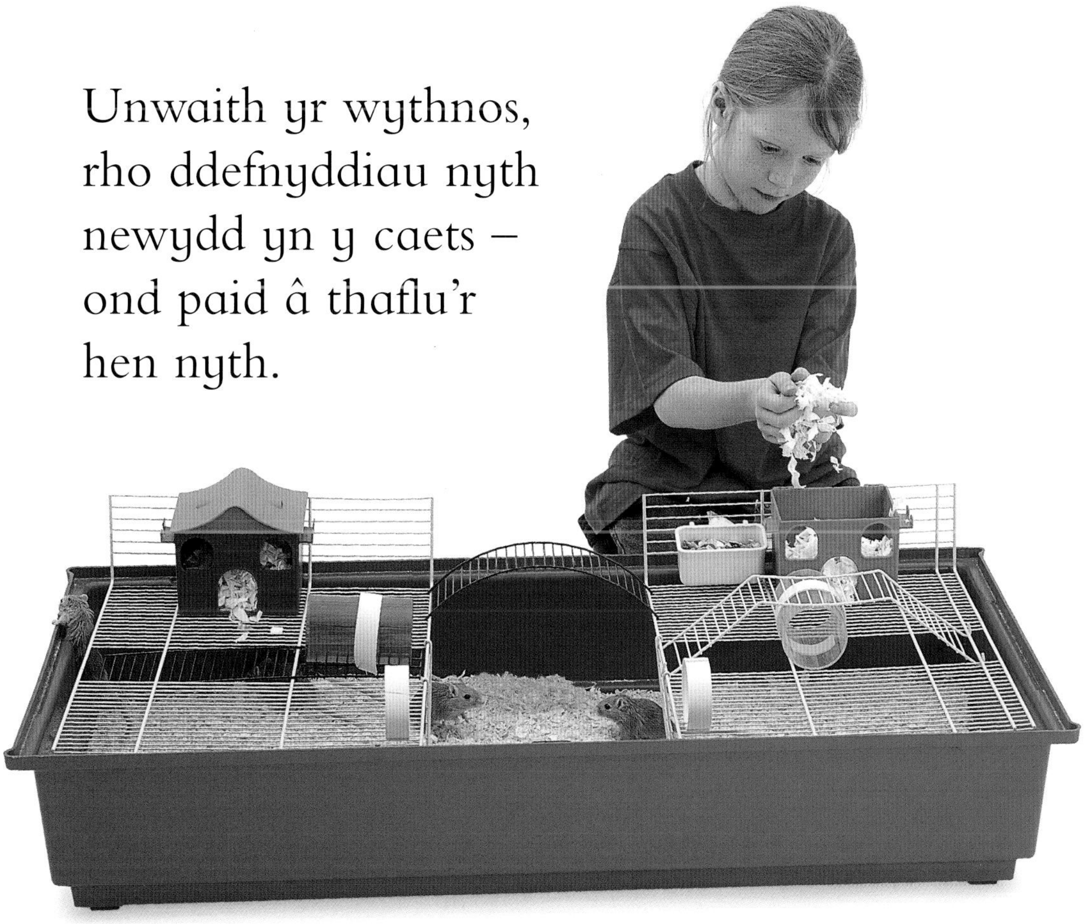

Unwaith y mis, glanha gartref y bochdew'n lân. Dim ond unwaith bob tri mis bydd angen gwneud hyn i gartref y gerbilod.

Golcha'r caets neu danc gyda dŵr a sebon a diheintydd arbennig. Gwna'n siŵr ei fod yn sych cyn rhoi defnyddiau newydd dros y llawr ac yn y nyth.

Bydd yn dyner wrth drin dy anifail.

Bydd dy anifail yn ofnus pan fyddi di'n ei godi am y tro cyntaf. Symuda'n araf, a phaid ag ymestyn i lawr. Cynigia ddarn o fwyd iddo a siarada'n dawel ag e.

Paid â gwasgu dy anifail anwes na'i ddal wrth ei gynffon. Pan fyddi'n rhoi mwythau iddo, tynna dy law'n dyner drosto o'r gwddf at y gynffon.

Pan fyddi di'n trin dy anifail, eistedda i lawr neu benlinio, neu ei ddal wrth ford. Os bydd dy anifail yn cwympo ac rwyt ti'n meddwl ei fod wedi cael dolur, cer ag e'n syth at filfeddyg.

Bydd yn ofalus os wyt ti'n dal dy fys tuag at fochdew. Gallai feddwl mai bwyd yw e – a'i gnoi!

Pan fydd dy anifail yn ddof bydd yn mwynhau rhedeg o un llaw i'r llall. Efallai bydd yn rhedeg i fyny i dy ysgwydd ac i fyny ac i lawr dy fraich.

Helpa dy anifail anwes i gadw'n iach.

Mae bochdewion a gerbilod yn brwsio eu hunain i gadw eu ffwr yn lân a gloyw. Os yw ffwr dy anifail yn edrych yn bŵl, neu os yw ei lygaid neu drwyn yn rhedeg, efallai bydd rhaid iti fynd ag e at y milfeddyg.

Os wyt ti'n bwydo dy anifail yn dda ac yn cadw'i gartref yn lân, dylai gadw'n iach. Mae gan anifail iach lygaid disglair, côt lyfn, a thrwyn, clustiau a phen-ôl glân.

Mae angen llawer o bethau ar dy anifail i'w cnoi. Os yw ei ddannedd yn tyfu'n rhy hir, efallai na fydd yn gallu bwyta'n iawn. Os yw hyn yn digwydd, cer ag e at y milfeddyg, er mwyn iddo roi ffeil dros ei ddannedd.

Gallai dy anifail anwes fynd yn sâl os yw ei gaets yn cael awel oer, neu os yw'n cael ei gadw'n rhy agos at reiddiadur neu yn llygad yr haul.

Mae bochdewion yn hoffi byw ar eu pennau eu hunain, ond mae gerbilod yn hoffi byw gyda'i gilydd.

Ni ddylet ti gadw gerbilod a bochdewion gyda'i gilydd achos byddan nhw'n ymladd. Mae bochdewion hefyd yn ymladd â'i gilydd, felly mae'n well prynu un bochdew ar ei ben ei hun.

Os oes teganau gan dy fochdew, ac os wyt ti'n chwarae ag e bob dydd, fydd e ddim yn teimlo'n unig.

Mae gerbilod yn byw gyda'i gilydd yn y gwyllt, felly bydd un gerbil ar ei ben ei hun yn teimlo'n unig.

Cadwa ddau gerbil gyda'i gilydd bob amser. Gwna'n siŵr mai rhai benyw o'r un torllwyth ydyn nhw, er mwyn iddyn nhw fod yn hapus gyda'i gilydd ac felly ddim yn cael rhai bach.

Mae gerbilod yn mwynhau byw mewn tanc sy'n llawn cymysgedd o fwsog, pridd a gwellt wedi'i dorri'n fân. Maen nhw'n hoffi tyllu i'r pridd.

Gall dy anifail fyw am nifer o flynyddoedd.

Gall bochdewion a gerbilod fyw am hyd at dair blynedd. Wrth i'r anifail anwes fynd yn hŷn gallai golli ei ffwr a magu pwysau. Gwna'n siŵr nad wyt ti'n rhoi gormod o fwyd iddo.

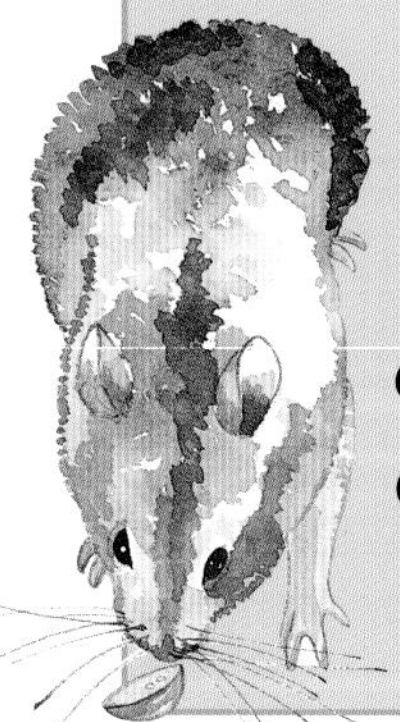

Os yw dy anifail yn dianc o'i gaets, paid â rhedeg ar ei ôl. Caea'r ffenestri a'r drysau i gyd. Rho ychydig o fwyd allan ac arhosa. Daw dy anifail anwes allan i fwyta ac yna byddi di'n gallu ei godi'n dyner a'i roi 'nôl yn ei gaets.

Os wyt ti'n gofalu'n ofalus am dy anifail, ac yn ei drin yn dyner, bydd yn cael bywyd hapus. Ond, yn union fel pobl, bydd yn marw ryw ddiwrnod.

Efallai y byddi di'n teimlo'n drist pan fydd dy anifail anwes yn marw, ond byddi di'n gallu cofio cymaint o hwyl gawsoch chi gyda'ch gilydd.

Geiriau i'w cofio

anialwch
Tir lle does bron dim glaw.

codau
Mannau gwag ym mochau bochdew lle gall storio bwyd.

milfeddyg
Meddyg i anifeiliaid.

sugno
Pan fydd mochyn cwta ifanc yn yfed llaeth y fam, mae e'n sugno.

tanc
Cynhwysydd gwydr neu blastig sy'n gallu cael ei ddefnyddio fel cartref i gerbil neu fochdew. Dylai fod clawr arno sy'n cau'n dynn, ond sy'n gadael aer i mewn.

tyllu
Palu i mewn i'r ddaear.

wisgers
Blew hir main sy'n tyfu ar wyneb anifail.

Mae bochdewion a gerbilod yn tyfu'n gyflym

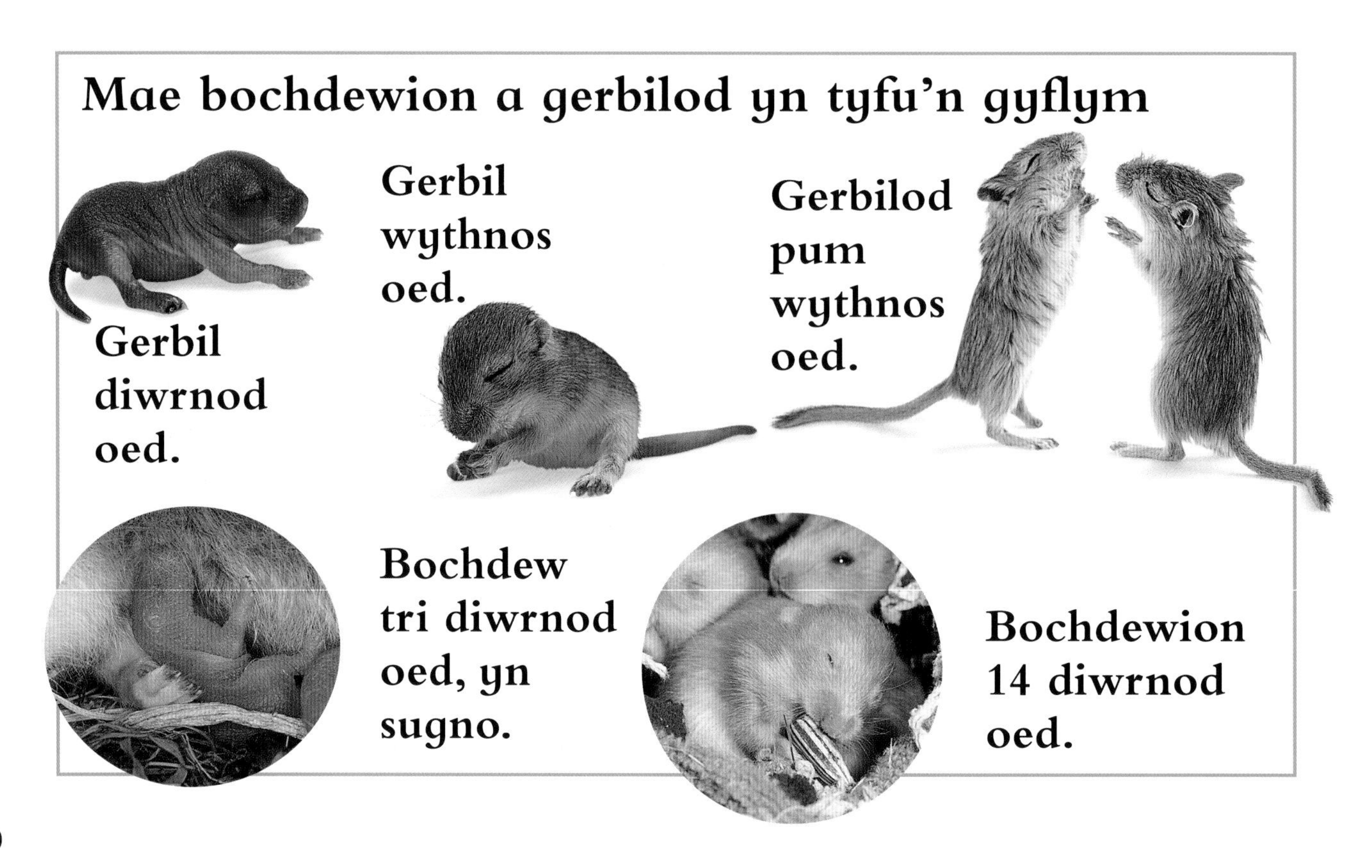

Gerbil diwrnod oed.

Gerbil wythnos oed.

Gerbilod pum wythnos oed.

Bochdew tri diwrnod oed, yn sugno.

Bochdewion 14 diwrnod oed.

Mynegai

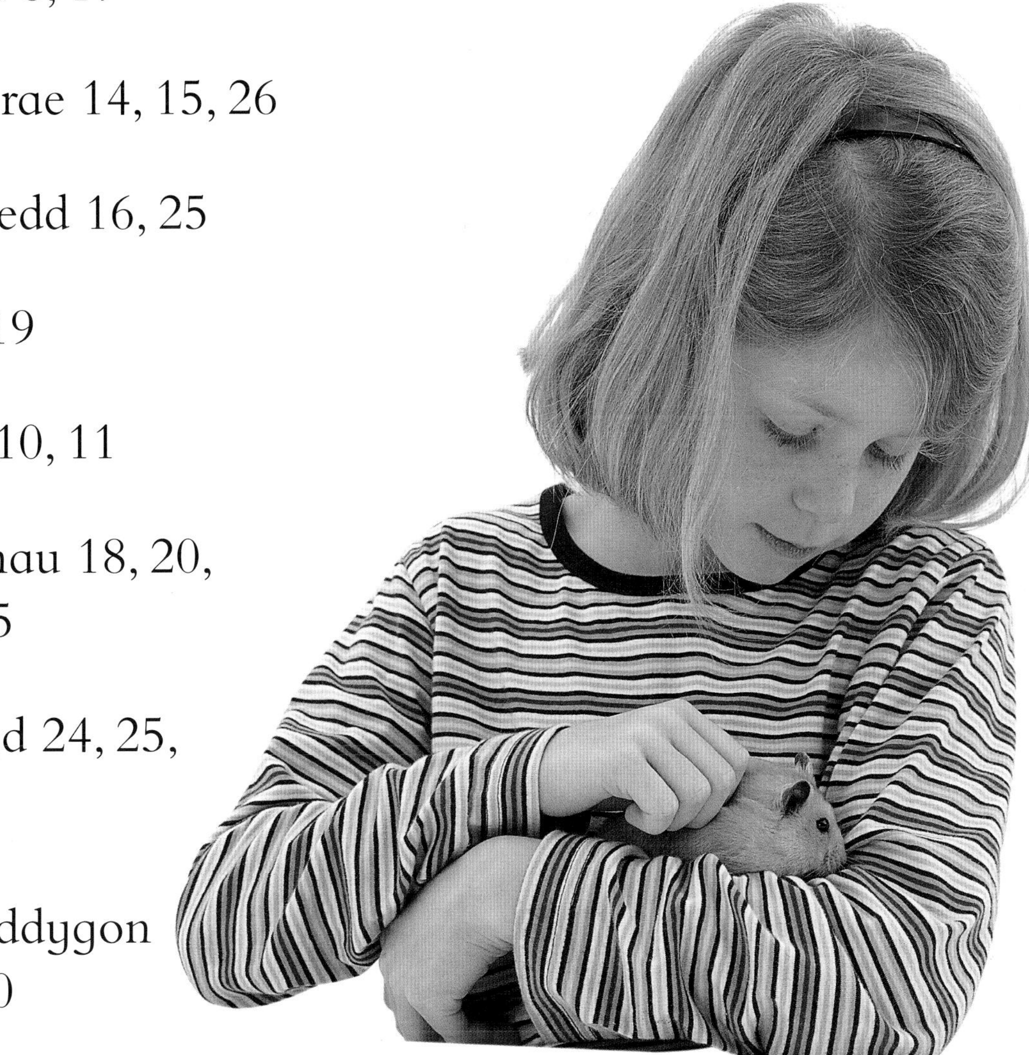

Nodiadau i rieni

Bydd bochdewion a gerbilod yn rhoi llawer iawn o bleser i chi a'ch teulu, ond mae cadw unrhyw anifail yn gyfrifoldeb mawr. Os ydych chi'n penderfynu prynu anifail anwes i'ch plentyn, bydd angen i chi wneud yn siŵr fod yr anifail yn iach, yn hapus ac yn ddiogel. Byddwch hefyd yn gorfod gofalu amdano os yw e'n sâl. Os yw'ch plentyn o dan bum mlwydd oed, bydd angen i chi ei oruchwylio tra bydd yn gofalu am yr anifail. Eich cyfrifoldeb chi fydd gwneud yn siŵr nad yw eich plentyn yn gwneud niwed i'r gerbil neu'r bochdew a'i fod yn dysgu eu trin yn gywir.

Dyma rai pwyntiau eraill i'w hystyried cyn ichi benderfynu bod yn berchen ar fochdew neu gerbil:

- Dylai bochdewion a gerbilod fod yn chwe wythnos oed cyn gadael eu mamau.
- Mae bochdewion yn cysgu drwy'r rhan fwyaf o'r dydd a ddylai neb darfu arnyn nhw. Os yw hyn yn mynd i fod yn rhwystredig i blant, efallai mai gerbil yw'r dewis gorau fel anifail anwes.
- Ni ddylai bochdewion a gerbilod gael eu cadw mewn unrhyw fan sy'n rhy boeth neu'n rhy oer. Os yw bochdewion yn mynd yn rhy oer, gallen nhw ddechrau gaeafgysgu a marw.
- Bydd angen lle arnoch chi i gadw'r gerbilod neu'r bochdewion yn y tŷ. Dylai caets i fochdewion neu danc i gerbilod fesur o leiaf 75 x 40 x 40 centimetr. Dylai caets i gerbilod fesur o leiaf 60 x 25 x 25 centimetr, ond mae hyn yn amrywio yn ôl faint o gerbilod rydych chi'n eu cadw.
- Peidiwch â chadw gerbilod benyw a gwryw gyda'i gilydd. Dylai bochdewion gael eu cadw ar eu pennau eu hunain.
- Pan fyddwch chi'n mynd ar wyliau, bydd angen i chi wneud yn siŵr bod rhywun ar gael i ofalu am yr anifeiliaid.
- Os oes gennych cathod neu gŵn, cadwch nhw draw oddi wrth y bochdewion a'r gerbilod. Mae'r anifeiliaid bach yma'n hawdd eu hypsetio a gallan nhw fynd yn sâl ar ôl cael sioc.

Cyflwyniad i ddarllenwyr ifainc yw'r llyfr hwn yn bennaf. Os oes gennych unrhyw ymholiadau manwl ynglŷn â sut i ofalu am eich gerbilod neu'ch bochdewion, gallwch gysylltu â'r *PDSA* (*People's Dispensary for Sick Animals*) yn Whitechapel Way, Priorslee, Telford, Sir Amwythig/ Shropshire TF2 9PQ.
Rhif ffôn: 01952 290999.